W9-CBO-072

PEINDRE
LES MEUBLES

© 1995 R.C.S. Libri & Grandi Opere S.p.A., Milan

Cette édition est publiée en 1997 par Celiv, Paris

ISBN 2-86535-345-1

Imprimé en Italie

Mery Bellentani

PEINDRE
LES MEUBLES

Techniques • Idées • Projets

CELIV

SOMMAIRE

PREFACE

Ce manuel s'adresse non seulement à tous ceux qui envisagent de faire de la décoration en professionnels, mais aussi aux simples amateurs qui désirent acquérir les techniques de base pour pouvoir aborder cette activité. La décoration existe depuis toujours, elle est née lorsque l'homme du paléolithique sentit le besoin de peindre les parois des cavernes, pour représenter sa propre vie qui tournait autour de la chasse. De même, au minoen, on décora avec de grandes peintures murales les salles à manger du palais de Cnossos, en Crète. Mais, surtout, ce sont les figures décoratives des petits objets quotidiens qui représentent la vie et les sentiments populaires. Une expression très élevée de l'art de la décoration se manifeste, par exemple, dans les vases grecs aux couleurs sévères, où l'on remarque une exigence d'ordre, de symétrie et de proportions. Nous pouvons suivre toutes les étapes de l'histoire de la décoration car, qu'il s'agisse de murs, de meubles ou d'objets, nous découvrons qu'au cours de ces 2000

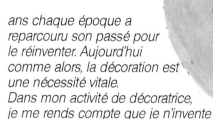

ans chaque époque a
reparcouru son passé pour
le réinventer. Aujourd'hui
comme alors, la décoration est
une nécessité vitale.
Dans mon activité de décoratrice,
je me rends compte que je n'invente
rien, mais que je ne cesse de rechercher
dans le passé, avec humilité et respect, les
multiples exemples qui me stimulent à créer et, au bout de ces réflexions, c'est moi-
même et mon histoire que je retrouve. L'art de la décoration ne peut s'improviser. Il
requiert des prédispositions artistiques et un goût sûr. Il exige aussi une grande
capacité d'observation ainsi que de l'habileté et des connaissances spécifiques. Partir
d'un projet est toujours préférable afin d'être en mesure d'accomplir l'ouvrage avec
rationalité et détermination.
Si je dois récupérer un meuble démodé, je le modifie la plupart du temps en respectant
son histoire, son style, son iconographie et j'utilise toujours des matériaux
réversibles, en me conformant à des règles éthiques qui doivent constamment
guider le travail du bon restaurateur-décorateur.
Mais s'il s'agit de décorer un meuble ou un objet de nouvelle facture, alors je
me sens libre de l'interpréter selon ma fantaisie. Souvent, j'arrive à saisir
quelque chose qui se trouve déjà dans la forme de l'objet et qui suscite en
moi une pensée, une couleur, un trait, puis je procède avec mon
imagination.

MERY BELLENTANI

COMMENT PROCEDER

Avant de commencer n'importe quelle décoration, il est recommandé d'analyser le meuble et de tenir compte de son style et du contexte dans lequel il a été fabriqué. Il s'agit bien sûr d'un point de vue personnel qui me pousse à respecter ce qui existe déjà, avec le caractère qui lui est propre.

Le choix de la décoration d'un meuble ancien suppose une connaissance approfondie des matériaux et des techniques. Le travail sera peut-être plus fatigant, mais le résultat sera gratifiant et agréable. Affronter la décoration d'un meuble neuf est certainement plus facile parce qu'on évite toutes les longues opérations nécessaires à la préparation de base pour la nouvelle décoration.

MATERIEL NECESSAIRE

• *Des pinceaux plats de différentes tailles, utiles pour les grandes surfaces.*
• *Des pinceaux synthétiques de différentes tailles, indispensables pour les retouches et pour les petites surfaces.*
• *Des pinceaux ronds pour stencil, en soie de porc ou en poil de cheval, eux aussi de différentes tailles.*
• *Un petit pot de cire naturelle.*
• *Une éponge naturelle.*
• *Des couleurs acryliques à séchage lent; elles donnent des effets spéciaux semblables à la peinture à l'huile.*
• *Des couleurs en pots de 500, 700 et 1000 gr, utiles pour les grandes surfaces.*
• *Des pigments liquides à ajouter aux couleurs de base pour obtenir les tonalités désirées.*
• *Du papier de verre de grains différents.*
• *Du ruban adhésif en papier.*
• *Des crayons de couleur soluble à l'eau.*
• *Des vernis de finition et des fixatifs.*

LA PREPARATION DU VIEUX BOIS

Je conseille toujours de récupérer dans les greniers, chez les brocanteurs ou dans n'importe quel endroit, un meuble qui n'est pas en bois précieux, sans forte personnalité ni grande valeur, mais qui possède une histoire et appartient au domaine culturel de l'art pauvre. L'important est que cet objet vous attire, qu'il éveille votre imagination et vous donne envie de faire des projets et des décorations.

Pour réaliser votre projet, il convient de planifier votre travail par étapes. Celles-ci prévoient:
• l'analyse du style,
• l'observation attentive de l'état de conservation,
• le nettoyage des surfaces,
• la préparation des surfaces,
• l'exécution du projet (ébauche),
• le choix des matériaux,
• la réalisation,
• les finitions.

LE DIAGNOSTIC

Avec un vieux meuble à restaurer il faut se comporter comme un médecin devant un malade: on l'examine, on formule le diagnostic et on décide le traitement. Le meuble peut être de toutes provenances: il peut être d'origine familiale, dans un assez bon état de conservation, ou bien il peut avoir été déniché chez un brocanteur ou chez un petit antiquaire. Dans ce deuxième cas, avant de l'acheter, estimez bien le prix et les conditions, veillez à ce qu'il ne soit pas en trop mauvais état, qu'il n'ait pas trop de vermoulures et ne vous laissez pas impressionner par les couches de peinture ou par la saleté parce qu'il existe des produits adéquats pour les ôter. Après le diagnostic, on peut commencer le véritable travail de restauration, qui précède la décoration proprement dite, avec les opérations suivantes:
• nettoyage, décapage et lavage,
• traitement antiparasite,
• masticage,
• teinture,
• préparation.

LE NETTOYAGE

LE NETTOYAGE D'UN MEUBLE CIRE

Un meuble traité avec de la cire peut être nettoyé avec un chiffon et un pinceau imbibé d'essence de térébenthine préalablement chauffée au bain-marie. Trempez le pinceau dans le liquide et passez-le sur la surface: la couche de cire s'amollira en peu de temps et il suffira d'éliminer la saleté avec le chiffon.

LE NETTOYAGE D'UN MEUBLE VERNI

Si le vernis est à base de gomme-laque ou de nitrocellulose, on peut utiliser une solution composée d'une partie d'alcool éthylique à 94 degrés et une partie d'essence de térébenthine mélangée à quelques gouttes d'huile de tournesol. On prépare cette mixture en mélangeant tous les éléments dans un récipient ; on agite avant l'usage et on enlève la saleté avec un chiffon de coton imprégné de cette solution.

LE DECAPAGE

L'élimination totale de la peinture agresse considérablement le bois: faites-le seulement si la surface du meuble est tellement abîmée que les opérations de nettoyage citées avant ne sont pas suffisantes.

1

2

3

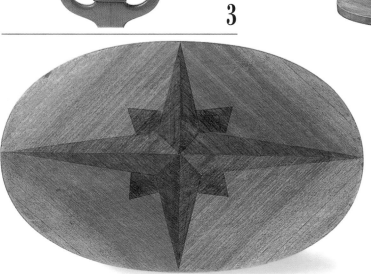

4

13

LE DECAPAGE A L'AIDE DE SOLVANTS

Il en existe différents types dans le commerce; ce qui importe c'est de commencer avec des solvants légers et de passer au fur et à mesure à des solvants plus forts. Attendez que le solvant agisse, puis après 15-20 minutes environ ôtez la vieille couche de peinture avec un grattoir ou une lame en acier. Si c'est nécessaire, répétez l'opération. Après avoir détaché avec soin toute la peinture, passez un chiffon imprégné d'alcool pour arrêter la réaction chimique du décapant et ôter les résidus éventuels. Il est recommandé d'exécuter ces opérations dans un lieu aéré car les substances contenues dans les décapants sont souvent toxiques.

LE DECAPAGE A L'AIDE DE SOUDE CAUSTIQUE

Ce genre de décapage est très toxique et corrosif, c'est pourquoi il faut en user avec précaution. Faites fondre une cuillerée de soude dans un litre d'eau bouillante, versez le tout dans une cuvette en plastique et étalez la solution au pinceau sur la surface du meuble. Laissez-la agir jusqu'à ce que la pellicule sous-jacente se soulève, prête à être enlevée avec un grattoir et une paille de fer. A opération achevée, rincez avec de l'eau vinaigrée.

L'ELIMINATION DES VIEILLES FINITIONS AU PAPIER VERRE

Il convient de passer graduellement d'un papier verré de grain assez gros (120-150) à un grain plus fin (240), puis à un grain très fin (400), en exécutant des mouvements circulaires avec une pression constante et en suivant la direction des fibres du bois. Après avoir enlevé la poudre produite par le ponçage à l'aide d'un gros pinceau, époussetez avec un linge mouillé d'alcool à 94 degrés.

LE TRAITEMENT ANTIPARASITE

Les principaux ennemis du bois sont les insectes xylophages (mangeurs de bois). Ces petits animaux vont à la recherche des parties les plus épaisses, celles qui leur fournissent une plus grande quantité de nourriture. Ils y produisent des galleries curvilignes et ramifiées, perpendiculaires à la surface. Tout d'abord, il faut vérifier s'il s'agit de trous anciens ou si le ver rongeur est encore actif. Pour cela, il faut tapoter délicatement le meuble de façon à faire sortir la sciure qui se trouve à l'intérieur des trous. Placez le meuble sur une surface bien propre et, après vingt-quatre heures, tapotez de nouveau le meuble. Si les vers rongeurs sont encore actifs, ils auront produit de la nouvelle sciure. Dans ce cas, il est nécessaire de traiter le bois contre les vers avec des produits appropriés (Xilamon, Timpest, pétrole). Injectez ces liquides dans les galleries en vous servant d'une seringue, répétez l'opération après vingt-quatre heures et, par la suite, tous les deux ans. Il est recommandé d'utiliser un masque protecteur et d'exécuter l'opération dans un lieu aéré.

LE LAVAGE

Après le décapage, on peut obtenir une parfaite propreté du bois et éliminer les taches de peinture, la saleté etc., en utilisant une mixture composée de 1/3 d'eau, 1/3 d'ammoniaque concentrée à 6%, 1/3 d'eau oxygénée à 130 volumes.
Il faut observer les règles suivantes:
• utiliser des gants appropriés,
• opérer dans un lieu aéré,
• n'utiliser la mixture que sur le bois massif (pas sur le bois plaqué),
• n'utiliser la mixture que sur des meubles de peu de valeur.
On applique la mixture sur la surface avec un pinceau et on la laisse agir quelque temps (on verra apparaître de la mousse); à ce point, rincez à l'eau claire. Après le lavage, laissez sécher le meuble pendant trois jours environ dans un endroit chaud et sec.

LE MASTICAGE

Le masticage sert à boucher les petits trous et les fentes ainsi qu'à couvrir d'éventuelles irrégularités de la surface. Si vous devez peindre le meuble, appliquez le mastic avant la couleur.

LA PREPARATION DU MASTIC
- 50 gr de plâtre
- 25 gr d'eau chaude
- 5 gr de colle de lapin
La pâte obtenue doit être homogène et souple.
La colle de lapin se présente en grains; laissez-la macérer dans l'eau pendant une nuit dans un récipient. Ensuite, procédez à la liquéfaction en réchauffant le récipient au bain-marie, et ajoutez le plâtre au fur et à mesure sans mélanger.
Quand le platre aura absorbé l'eau, mélangez la colle et introduisez le pigment. Pour colorer le mastic, il existe des terres que l'on trouve facilement dans le commerce: terre de Sienne, terre d'ombre, terre ocre, terre noire de Kassel etc.

Il est recommandé de faire des essais car, une fois séché, le mastic va pâlir. Quoi qu'il en soit, la préparation du mastic exige beaucoup d'expérience, c'est pourquoi il en existe plusieurs types déjà prêts dans le commerce.

APPLICATION DU MASTIC
Pour appliquer le mastic on utilise une spatule en bois ou en métal.
Il faut comprimer la pâte dans les trous et les fentes de la surface, en prenant soin d'excéder légèrement par rapport au niveau du plan car, pendant le séchage, l'eau contenue dans le mastic évapore en provoquant un léger affaissement.
Lorsque le séchage

est achevé, enlevez le mastic en excédent avec du papier verré de grain fin.
Si l'affaissement du mastic se révèle excessif, répétez l'opération de masticage jusqu'au niveau de la surface.
Au cas où la tonalité du mastic ne serait pas satisfaisante, vous pouvez l'ôter facilement avec de l'eau chaude. Son élimination se fait facilement puisque ce matériau est composé de substances naturelles et donc réversibles. Pour le masticage de surfaces moins précieuses, utilisez du mastic universel (on le trouve facilement déjà prêt à l'emploi) ou bien mélangez du plâtre avec de la terre ou des mordants et de la colle vinylique.

CONSEILS POUR LA COLORATION DU MASTIC

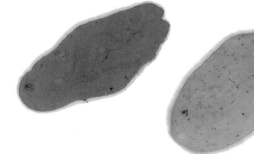

Voici ce qu'il faut ajouter au mastic (préparé à l'avance) pour obtenir les couleurs suivantes:

CHENE
- 10 gr de terre d'ombre
- 5 gr de terre ocre
NOYER CLAIR
- 15 gr de terre d'ombre
- 5 gr de terre ocre
- 5 gr de terre de Sienne

NOYER FONCE
- 25 gr de terre d'ombre
- 5 gr de terre ocre
- 10 gr de terre de Sienne
ACAJOU
- 10 gr de terre d'ombre
- 5 gr de terre ocre
- 25 gr de terre de Sienne

CERISIER
- 15 gr de terre d'ombre
- 5 gr de terre ocre
- 15 gr de terre de Sienne
EBENE
- 30 gr de terre de Kassel

Mastics colorés avec les pigments acajou, ébène, cerisier, rouvre.

LA TEINTURE

La teinture du bois maintient le meuble dans sa couleur naturelle et évite de devoir le peindre complètement. Cette opération met en valeur les veines du bois. Pour réaliser ce traitement, on utilise des mordants à l'eau ou à l'alcool. Pendant l'application, il est indispensable d'utiliser des gants pour protéger la peau.

LES MORDANTS A L'ALCOOL

On les applique sur des surfaces qui ont déjà été soumises à une première phase de ponçage.

Après avoir dilué les terres ou les anilines dans la gomme-laque ou dans l'alcool, on étale les teintes avec un pinceau, en travaillant de façon à donner un effet de glacis.

LES MORDANTS A L'EAU

Pour les préparer, il faut mélanger les pigments en poudre avec de l'eau chaude puis laisser reposer l'émulsion obtenue pendant au moins une heure dans un récipient en verre.
Le bois absorbera mieux le mordant si vous ajoutez à la solution de l'ammoniaque concentrée à 6%.
Avant de traiter les surfaces externes du meuble, il convient de tester la préparation à l'intérieur, dans un coin, pour évaluer le résultat esthétique que vous désirez obtenir. Sur les surfaces régulières, on applique le mordant à l'aide d'une éponge naturelle ou d'un pinceau.
L'application doit être rapide afin que la surface soit encore humide à travail achevé pour pouvoir intervenir en cas d'erreur.
Essuyez avec un linge propre en suivant la direction des veines du bois, dans les coins et partout où il y a un excédent de couleur.

Laissez sécher pendant au moins douze heures.
Au cas où la couleur serait trop foncée, passez un linge humide pour l'éclaircir. Au contraire, si la couleur est trop claire, répétez l'opération après une bonne heure. L'effet observé quand la surface est encore humide est similaire au résultat final après le ponçage.

CONSEILS POUR LA PREPARATION
Faites dissoudre les pigments dans moins d'un litre d'eau que vous aurez fait bouillir auparavant.

NOYER CLAIR OU CHÊNE: *diluez la composition de base avec de l'eau.*

NOYER FONCE: *diminuez la quantité d'eau.*

NOYER ROUGEATRE: *ajoutez à la composition de base un peu d'acajou.*

ACAJOU CLAIR: *augmentez la quantité d'eau dans la composition de base.*

ACAJOU FONCE: *diminuez la quantité d'eau.*

CERISIER: *noyer de base plus acajou de base.*

EBENE: *pour obtenir des reflets clairs, ajoutez à la composition de base une petite quantité d'acajou.*

Tablette en bois teinté avec des mordants à l'eau: noyer, cerisier, acajou, ébène.

LA PREPARATION
DU BOIS NEUF

On prépare le bois neuf en nettoyant toutes les surfaces avec du papier abrasif. Ceci vous permettra d'enlever les finitions éventuelles, cires ou vernis avec lesquels sont souvent traités les meubles qui sont dans le commerce. Après avoir vérifié le nettoyage, le collage et le masticage, procédez à la couche de fond ou base préparatoire.

LES BASES
Il existe trois types de base:
• l'enduit universel,
• la peinture à l'eau lavable,
• l'enduit liquide.
Ces trois produits servent à boucher les pores du bois, garantissant ainsi la tenue de la peinture.

L'ENDUIT LIQUIDE

Il est composé de plâtre, d'eau et de colle de lapin en grains ou en écailles. Laissez tremper pendant une nuit une demi-tasse de grains de colle dans l'eau froide. Les grains vont gonfler et s'amollir. Ajoutez un demi à trois quarts de litre d'eau et réchauffez le tout au bain-marie. Lorsque le mélange est chaud, ajoutez le plâtre sans mélanger jusqu'à ce que presque toute l'eau et la colle soient absorbées.

La substance doit devenir visqueuse et avoir la consistance d'une crème liquide. A ce moment seulement, mélangez pour bien amalgamer le tout. Vous pouvez évaluer la consistance exacte en trempant le pouce et l'index dans la préparation. Si vous sentez qu'ils collent, la solution est prête; au cas où l'effet collant serait trop faible, ajoutez des grains de colle.

Appliquez l'enduit encore chaud avec le pinceau.

Vous pouvez remplacer l'enduit liquide par du plâtre acrylique qui se trouve déjà prêt dans le commerce.

L'ENDUIT UNIVERSEL

On le trouve déjà prêt dans le commerce mais il faut le diluer avec de l'essence de térébenthine. Étalez-le plutôt liquide, dans le sens horizontal puis vertical. L'enduit s'accroche très fortement; il prend même sur les surfaces vernies et, au cas où vous le désireriez, il peut vous éviter de décaper le bois.

Toutefois, je vous conseille de réaliser toujours le décapage pour que votre travail résiste plus longtemps. Laissez sécher l'enduit puis, à l'aide de papier verré, poncez cette couche de fond. L'enduit sert aussi à mastiquer et à combler les petites dépressions des surfaces.

Il sèche en 3-6 heures.

LA PEINTURE A L'EAU LAVABLE

On la trouve facilement déjà prête à l'emploi et elle se présente comme une pâte crémeuse. On doit la diluer dans l'eau et l'étaler en deux couches (horizontale et verticale). Il s'agit d'un produit à séchage très rapide et facile à appliquer.

On peut la colorer avec des pigments universels et la laver après 4 heures de séchage.

Etant composée de résines synthétiques et de pigments, la couche de peinture crée une légère épaisseur opaque, semblable à un film plastique.

LE PONÇAGE AVEC PAPIER ABRASIF

Si vous voulez obtenir un résultat professionnel, nous vous suggérons de poncer la surface après chaque couche de fond de couverture. Pour effectuer cette opération, utilisez du papier abrasif en commençant par le grain le plus gros pour passer ensuite à un grain plus fin. Enroulez le papier sur de petits blocs appropriés (en bois, liège, polystyrène ou caoutchouc) de façon à pouvoir moduler la pression et suivre les variations de la surface. Les papiers que l'on trouve dans le commerce sont doublés de verre (papier verré), d'oxyde d'aluminium ou de carbure de silicium (papier noir à métaux). Le papier au carbure de silicium peut être utilisé sec sur le bois nu. Mais si vous devez poncer de la peinture ou du vernis, utilisez-le avec de l'eau savonneuse afin d'éviter les égratignures. Faites fondre du savon de Marseille dans l'eau et passez la solution moussante sur la surface en exerçant sur le papier une pression légère et en exécutant des mouvements longs. Contrôlez toujours l'uniformité du ponçage du bout des doigts. Eliminez ensuite les résidus avec une éponge naturelle, humectée et propre. Au lieu du papier abrasif, vous pouvez utiliser la paille ou la laine de verre, sèche ou mouillée avec de l'eau savonneuse. Coupez la paille avec des ciseaux pour éviter de vous blesser les mains. Utilisez-la en suivant les mêmes modalités qu'avec le papier abrasif. Pour les polissages très légers, on peut se servir de poudre à poncer.

LA COULEUR DE FOND

Il est recommandé d'utiliser toujours des couleurs à l'eau, car elles sont moins toxiques, sèchent plus rapidement et sont faciles à appliquer. L'effet final, d'aspect poudreux et plâtreux, rappelle les couleurs avec pigments et colles qu'on utilisait autrefois. Après avoir choisi la couleur de fond, préparez-la avec de la peinture à l'eau blanche et des pigments universels jusqu'à obtention de la couleur désirée. Si vous n'arrivez pas à préparer la couleur vous-même, utilisez les produits déjà prêts qu'on trouve dans une très large gamme de coloris standard. Etalez toujours deux couches de fond, une verticale et l'autre horizontale. Lorsque la couleur est sèche, poncez légèrement pour ôter les éventuelles striures du pinceau. Maintenant, le meuble est prêt pour être décoré selon votre projet.

LES EFFETS SPECIAUX

Vous pouvez décider de peindre le fond avec une teinte plate ou bien vous pouvez créer du mouvement avec des effets spéciaux. Au fur et à mesure que vous vous spécialiserez dans ce métier, vous trouverez toujours plus raffinés les fonds animés, car ils donnent des jeux de lumières et d'ombres qui rendent l'objet en question moins banal.

Il existe naturellement d'autres styles comme le "peigné", le "chiffonné", le "pointillé" et d'autres effets encore que l'on peut inventer selon les exigences.

Exemple de fonds peints avec la technique nuage: base sombre, nuages clairs.

L'EFFET NUAGE
Avec un pinceau plat donnez des coups de pinceau éparpillés ici et là en diagonale, en utilisant de la peinture à l'eau colorée un peu plus claire ou plus foncée que le fond. Avec une éponge naturelle mouillée puis parfaitement essorée, "ouvrez" ces coups de pinceau en étalant très souplement et très légèrement la peinture de façon à créer des nuages l'un à côté de l'autre. Ce travail doit être fait rapidement, avant que la peinture ne sèche, de façon à pouvoir apporter des corrections en ajoutant ou en diminuant la couleur. Si la surface travaillée est grande, il convient de demander l'aide d'une autre personne. Laissez sécher au moins pendant un jour la couleur de fond du meuble, ceci vous permettra d'effacer les erreurs éventuelles de couleur ou celles d'application de peinture.

LES FINITIONS

Il existe dans le commerce une grande variété de types de finitions et on en produit chaque année de nouveaux, encore meilleurs. Il s'agit tout simplement de savoir chercher, essayer et choisir. J'en décris ici une gamme limitée mais indispensable pour pouvoir effectuer vos travaux.

LE FLATTING

Il a un peu l'aspect du caramel et il doit être dilué dans l'essence de térébenthine. Très résistant à l'eau, c'est la finition par excellence des bateaux. Il en existe une nouvelle variante très pratique en gel.

LES VERNIS A L'EAU

Inodores et à séchage rapide, ces vernis s'appliquent facilement et ne sont pas toxiques.

La finition à l'eau se présente avec une couleur laiteuse et transparente; elle donne un résultat satiné.

LE VERNIS OPAQUE ALCOYLIQUE

Il est facile à trouver dans le commerce et est soluble dans l'essence de térébenthine. Ce vernis est appliqué comme couche finale, dilué avec un solvant et avec l'adjonction d'un siccatif. Il reste transparent et sèche en 6-12 heures.

LE VERNIS NITRO EN VAPORISATEUR

Ce vernis aussi est facile à trouver, il sèche en 6 heures. Il en existe une version brillante et une opaque.

LES BICOMPOSANTS NITRES

Il s'agit de vernis très résistants, faciles à trouver dans le commerce, indiqués surtout pour les décorations de revêtements de sol. Leur seul inconvénient est la toxicité, il est donc recommandé de travailler en lieux aérés.

LA GOMME-LAQUE

C'est une résine d'origine animale qu'on trouve sur certains arbres des Indes occidentales. Elle se présente sous forme d'écailles, de grains ou de pâte. De couleur orangée, son application donne au bois un aspect antique. On trouve la gomme-laque déjà prête dans le commerce. Ou bien on peut la préparer avec les proportions suivantes: cent grammes de gomme-laque diluée dans un litre d'alcool éthylique à 94°. Le seul inconvénient est sa faible résistance à l'eau et à l'alcool. Donc, pour éviter les problèmes, il vaut mieux fixer ultérieurement la gomme-laque avec de la cire.

LA CIRE

On obtient la cire d'abeilles en prélevant avec différentes méthodes le miel des rayons que l'on fait ensuite fondre avec de l'eau chaude. On obtient ainsi de la cire brute de couleur jaune brun. Pour la purifier, on la fait bouillir avec de l'eau et, pour la blanchir, on la soumet en tranches minces à l'action de la lumière, en ajoutant de la térébenthine. On en trouve différents types dans le commerce: blanches, jaunes et pigmentées. Le choix sera déterminé d'après l'utilisation que l'on veut en faire.

LE VERNIS SANDARAQUE

C'est une finition brillante et transparente que l'on trouve difficilement dans le commerce. Cette finition est utilisée dans l'art pauvre vénitien.

La sandaraque est une résine qui se présente sous forme de grains irréguliers et cristallins pleins d'impuretés. Cette résine fond lentement dans l'alcool. La finition a un aspect brillant et transparent.

23

L'EBAUCHE DU PROJET

Comme j'ai déjà expliqué, avant de réaliser votre projet il convient de faire une ébauche à l'échelle, en faisant alterner plusieurs variantes de couleurs si le premier résultat ne vous convainc pas entièrement. Ainsi, vous pourrez fixer votre choix avec plus d'assurance et obtenir un résultat parfait. Quant à moi, je me tourne toujours vers le passé pour chercher mes modèles car je trouve magnifiques la maîtrise technique et le goût artistique avec lesquels les artisans proposaient leurs ouvrages.

Ebauche d'un plateau de table en gypse, décoration avec la technique du trompe-l'œil: "Pensées et papillons".

Il vaut mieux transférer le dessin de la décoration sur le meuble en se servant de crayons de couleur soluble à l'eau, de manière que la trace du crayon disparaisse lorsqu'on utilisera la peinture à l'eau. Certains dessins peuvent être transférés avec du papier carbone, ou avec la technique du poncif ou du stencil, ou encore, si l'on est habile, à main levée. On peut se servir de plusieurs instruments: règle, équerre, ruban adhésif en papier, gomme, compas, tendeur de fil ou utiliser des objets occasionnels que l'on aura arrangés soi-même. Avec un peu d'imagination, tout peut être utile. Quand le dessin est achevé et que l'on est sûr d'avoir bien évalué les proportions de la décoration, on peut passer à la mise en couleur.

LA MISE EN COULEUR DE LA DECORATION

Vous pouvez utiliser les couleurs déjà prêtes disponibles dans le commerce ou bien les fabriquer vous-même. Ajoutez à la peinture à l'eau blanche des pigments universels. Pour gagner du temps, je vous conseille ceux à séchage rapide. Mélangez soigneusement la couleur de manière qu'elle soit bien homogène et augmentez un peu la quantité pour éviter d'être en difficulté au cas où il faudrait en refaire. Gardez toujours de la couleur de côté, dans une boîte fermée, pour les retouches finales ou bien pour remédier à quelques inconvénients de parcours.

L'EFFET PATINE

Si l'on veut donner à la décoration un effet patiné, on peut enlever de la couleur en grattant un peu de peinture avec du papier abrasif de grains différents ou avec une paillette ou de la laine de verre. Il faut enlever la couleur en simulant les usures du temps, c'est-à-dire sur les bords et sur les saillies des pommeaux et poignées. Si on le désire, on peut aussi faire des bosses, des brûlures et des vermoulures. Lorsque la mise en couleur de la décoration et son aspect patiné sont achevés, je conseille toujours de donner une couche de fixatif pour détrempe, de façon à fixer le tout. Si le résultat semble insatisfaisant, il est toujours possible de l'enlever avec un solvant sans endommager le long travail qui a été fait avant. Pendant que le fixatif sèche, on peut choisir la finition.

Ebauche d'une décoration florale française de la fin du XIXe siècle.

LES PINCEAUX

Pour chaque surface à remplir, il convient d'utiliser des pinceaux adéquats qui rendront le travail plus facile et plus rapide. Dans le commerce il y en a de toutes sortes: plats ou ronds, petits ou gros, longs ou courts. Les pinceaux qu'on utilise pour la peinture à l'eau doivent être nettoyés tout de suite après l'usage avec de l'eau tiède et du savon. Il est nécessaire de bien les traiter; comme les bistouris d'un chirurgien, ils doivent être rangés en position horizontale, enveloppés un par un dans une feuille d'aluminium, surtout si l'on pense ne pas les utiliser avant longtemps. Les meilleurs pinceaux pour les grandes surfaces sont les pinceaux plats et je conseille toujours d'utiliser ceux qui sont déjà usagés car, s'ils sont neufs, il faut les user un peu pour éviter que les poils morts ne collent à la surface peinte. Pour les décorations détaillées, on utilise des pinceaux à poil de bœuf, de martre ou bien synthétiques. On fait les lignes droites en se servant de ruban adhésif en papier ou bien, s'il s'agit de filets, avec une règle et un pinceau. Il est bon de laisser sécher l'ouvrage pendant au moins un jour avant de passer aux finitions.

EXEMPLES DE DECORATION SUR BOIS

1. Imitation peinte en trompe-l'œil de la brèche à motifs géométriques.
2. Exemples de faux marbre peint en trompe-l'œil.
3. Brèche patinée.
4. Décoration style empire réalisée avec la technique du poncif.

1. Découpage inséré dans un contexte pictural.
2. Imitation de mosaïque, technique du trompe-l'œil.
3. Décoration florale, technique du trompe-l'œil.
4. Grotesques du XVIe siècle, technique du poncif.

1. Carreaux peints, technique du trompe-l'œil.
2. Grotesques du XIXe siècle, technique du poncif.
3. Treillis avec rosier sur fond nuage.
4. Imitation d'un plâtre d'inspiration romaine, technique du trompe-l'œil.

1. Assiette en céramique peinte en trompe-l'œil.
2. Dentelle peinte, technique du trompe-l'œil.
3. Imitation de marqueterie de différentes essences de bois, technique du trompe-l'œil.
4. Vase de céramique de style oriental, en trompe-l'œil.

1. Estampillage à l'italienne, technique du stencil
2. Motif naturaliste, imitation de la pierre dure, technique du trompe-l'œil.
3. Nœud Mathilde de Canossa, technique du stencil.
4. Motif empire, technique relief (ou pastillage) et laque.

1. Briques peintes avec la technique du trompe-l'œil.
2. Faux marbre.
3. Rosace, technique du poncif.
4. Effet transparence, technique du stencil.

27

DECORATION EN STUC OU GYPSE

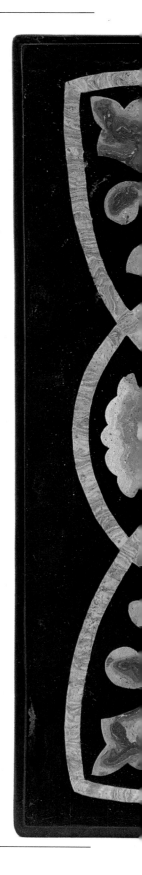

Plateau d'une petite table, décoré avec des motifs classiques (volutes et ornements) qui caractérisent le gypse traditionnel sur fond noir.

Il nous faudrait un livre entier pour pouvoir décrire opportunément cette technique ancienne, pleine de charme et encore peu connue. La technique du gypse s'est développée au XVIe siècle, en Bavière, et elle a été ensuite élaborée par d'habiles artisans de Carpi, aujourd'hui en province de Modène. Le but principal était d'imiter les incrustations florentines de pierres dures pour obtenir des ouvrages de prix inférieurs. La parfaite imitation de la pierre dure obtenue avec cette technique a atteint son apogée aux XVIIe et XVIIIe siècles. L'art du gypse a disparu graduellement à cause des secrets sur sa technique que les artisans gardaient jalousement jusqu'à leur mort.
Pour cette raison, je crois de mon devoir de le faire connaître en en enseignant la technique et en réalisant des ouvrages d'inspiration moderne.

Plateau de table raffiné, en gypse, décoré avec des motifs naturalistes avec la technique du trompe-l'œil.
A remarquer, la maîtrise avec laquelle a été réalisée l'incrustation ainsi que l'heureuse combinaison des couleurs avec le fond.

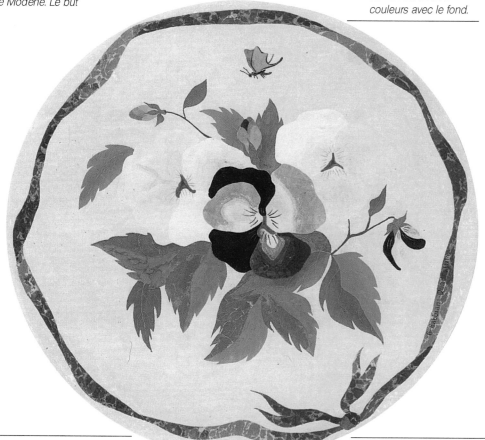

DES REALISATIONS

LA PETITE CONSOLE-TABLE DE NUIT

Demandez à votre menuisier de confiance de réaliser pour vous un modèle de console à son gré, ou bien comme celle-ci, en contre-plaqué, épaisse 2 cm, longue 35 cm et profonde 25 cm.

Ajoutez-y un support proportionné et collez-le en dessous.
Cette petite console peut substituer une table de nuit et personnaliser une pièce à peu de frais mais l'effet est assuré.

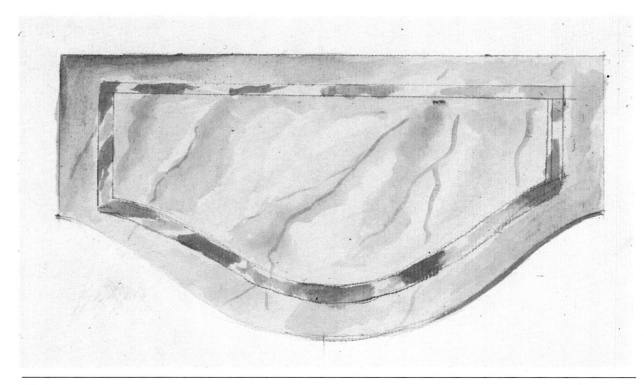

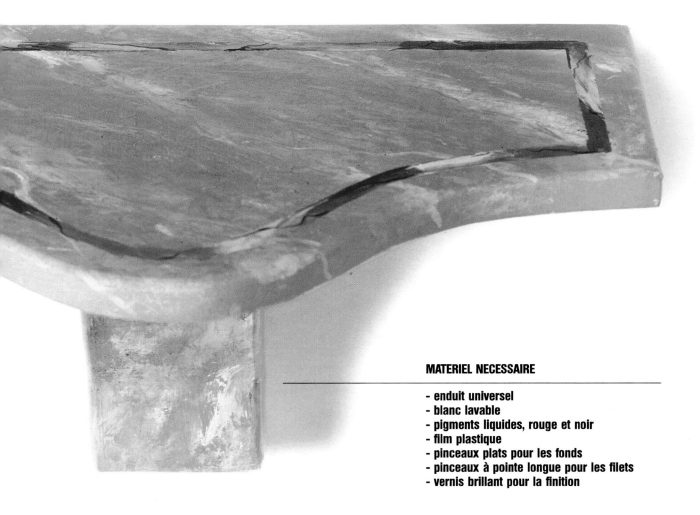

MATERIEL NECESSAIRE

- enduit universel
- blanc lavable
- pigments liquides, rouge et noir
- film plastique
- pinceaux plats pour les fonds
- pinceaux à pointe longue pour les filets
- vernis brillant pour la finition

PREPARATION

Préparez le bois en le ponçant au papier de verre et en enlevant les rugosités éventuelles puis appliquez une couche d'enduit dilué dans l'essence de térébenthine. Laissez sécher puis passez une couche de blanc lavable.

TEINTURE

Préparez la couleur choisie d'après votre projet initial. Étalez-la avec un pinceau plat, en évitant les "crêtes" de couleur. Laissez sécher et, éventuellement, passez de nouveau l'éponge abrasive.

FAUX MARBRE

Peignez grossièrement les tracés des veines du marbre en diagonale avec des coups de pinceau très rapides, en évitant que la couleur ne sèche.

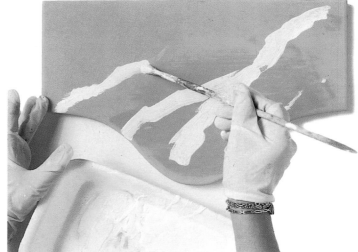

Mouillez abondamment les tracés peints, avec de l'eau.

Appliquez le film plastique toujours en diagonale, de telle sorte qu'il reste légèrement froncé. "Massez" la couleur pour qu'elle s'incorpore au fond, de façon à former la base du faux marbre.

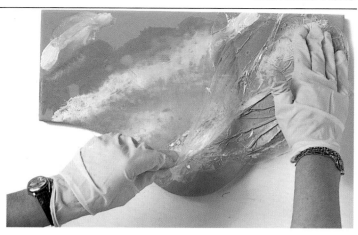

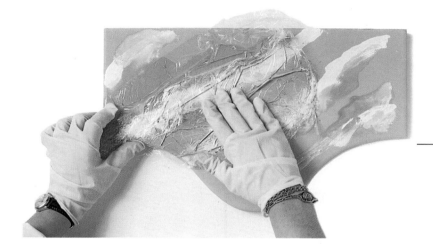

Otez le film plastique pour contrôler si l'effet obtenu est celui que vous désirez.

Achevez le faux marbre en peignant les veines d'un coup de pinceau tremblotant.

Collez le ruban adhésif tout autour pour délimiter l'incrustation de marbre. Peignez la décoration avec une couleur contrastante.

Retouchez l'incrustation en peignant les veines du marbre de façon à ce que la décoration semble plus réelle.

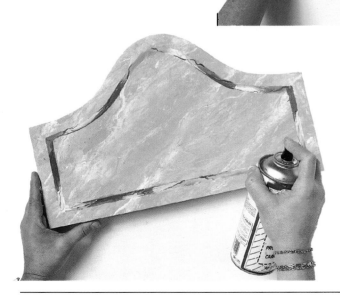

FINITION
Passez une couche de vernis brillant polyuréthane en atomiseur.
Si vous le désirez, lorsque le vernis sera sec, vous pourrez le saupoudrer de talc et le cirer avec un chiffon doux. Ainsi, vous obtiendrez davantage le reflet brillant du marbre.

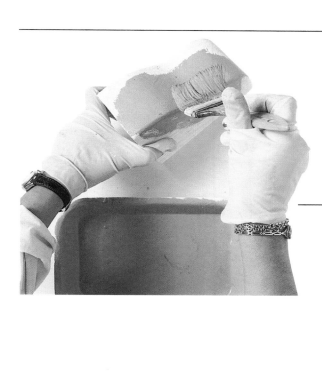

Exécutez les mêmes
opérations pour le
support de la console.

LA PAIRE DE CHAISES

Ces chaises ont été récupérées, dans le sens qu'elles ont été achetées chez un brocanteur. Vous pouvez tout aussi bien en trouver dans les grands réseaux de distribution, en différents formats. Avec un peu d'imagination, vous pourrez les transformer à votre goût.

MATERIEL NECESSAIRE

- enduit universel
- blanc lavable
- couleur acrylique verte, achetée déjà prête à l'emploi ou bien faite par vous dans la tonalité désirée, et différentes couleurs pour la décoration à petites fleurs
- gomme-laque pour la finition, déjà prête à l'emploi ou bien faite par vous avec écailles et alcool
- du papier de verre de grain fin pour enlever la couleur en excédent
- pinceaux plats pour les fonds
- petits pinceaux pour la décoration

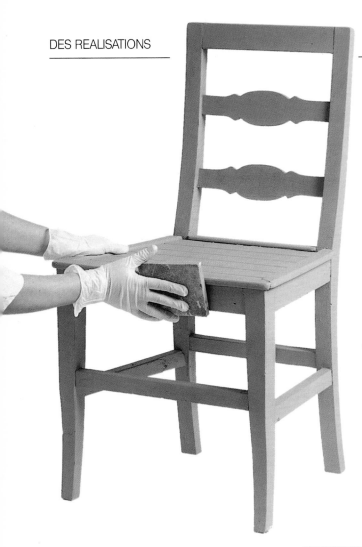

PREPARATION

Préparez le vieux bois en le lavant, en le désinfectant, en le décapant et en mastiquant tous les petits trous ouverts, suivant les explications du chapitre "Préparation du vieux bois".
Continuez votre travail en passant une couche d'enduit puis une couche de blanc lavable.

TEINTURE

Etalez votre couleur de base en ayant soin de peindre tous les petits recoins.
Si c'est nécessaire, enlevez la couleur en excédent avec une éponge abrasive.

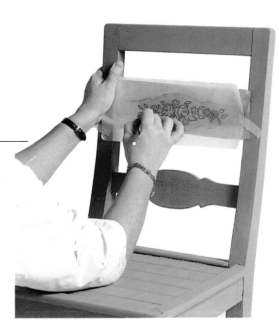

Appliquez votre motif, dessiné auparavant sur papier calque, en le recalquant sur du papier carbone. Ce papier a les mêmes caractéristiques que le crayon: il ne tache pas et on peut l'effacer.

Peignez la décoration avec les couleurs de base et achevez votre travail avec des touches de lumières et d'ombres.

FINITION A LA
GOMME-LAQUE
*Passez une couche de
gomme-laque à l'aide
d'un pinceau ou d'un
tampon.*

*Enlevez un peu de
couleur avec une petite
éponge abrasive pour
créer un effet patiné
causé par l'usage.*

VARIANTE
*La deuxième chaise
présente quelques
variantes dans le
dessin.*

LE VAISSELIER

Demandez à votre menuisier de réaliser pour vous un vaisselier de ces dimensions: hauteur 1,20 m et largeur 70 cm, suivant un modèle à votre goût.

MATERIEL NECESSAIRE

- enduit universel pour la base
- blanc lavable à colorer avec des pigments universels pour obtenir la tonalité désirée
- couleurs acryliques en tube pour la décoration des stencils
- pinceaux pour stencil
- pinceaux plats pour les fonds
- petits pinceaux synthétiques pour les détails
- fixatif mat en atomiseur pour la finition

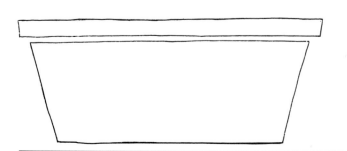

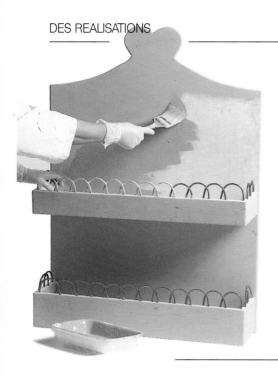

PREPARATION
Après avoir passé une couche d'enduit et une couche de blanc lavable, le meuble est prêt pour la teinture.

TEINTURE
Etalez la couleur désirée avec un pinceau plat.

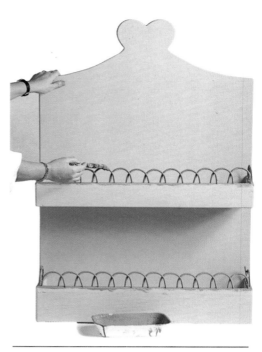

Peignez le treillis en fer avec un vernis à l'eau.

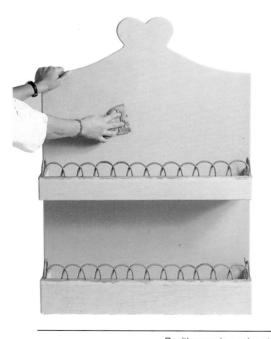

Poncez le meuble avec une petite éponge abrasive pour enlever la couleur en excédent.

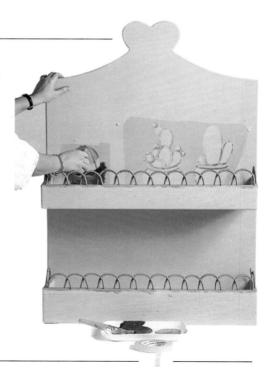

Positionnez le cache et commencez à peindre avec la technique du stencil.

Peignez la bordure du vaisselier après avoir collé un ruban adhésif en papier.

Achevez les décorations avec quelques touches à main levée pour rendre le dessin plus vivant.

FINITION
Fixez la décoration avec un fixatif en atomiseur pour détrempe ou acrylique.

Peignez une rosace décorative au centre.

LE PLATEAU
DE TABLE

Cette petite table
carrée a été récupérée,
c'est-à-dire qu'elle a été
trouvée chez un
brocanteur.

MATERIEL NECESSAIRE

- enduit universel
- blanc lavable
- pigments universels
- or en poudre
- colle vinylique
- ruban adhésif en papier
- éponge naturelle
- cire transparente pour la finition
- chiffon en laine
- pinceaux pour stencil
- caches
- pinceaux plats

N.B.: Si vous voulez fabriquer vous-même une belle couleur or, vous pouvez l'obtenir en mélangeant de l'or en poudre, qu'on achète en sachet chez les marchands de couleurs, avec de la colle vinylique et de l'eau; ou bien vous pouvez l'acheter toute faite, en tube.

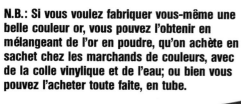

PREPARATION
Après avoir passé une couche d'enduit, laissez sécher puis passez une couche de blanc lavable.

TEINTURE DE FOND
Préparez la couleur de votre choix et appliquez-la soigneusement sur le plateau de table.

Enlevez la peinture en excédent qui forme des "crêtes" inesthétiques à l'aide d'une petite éponge abrasive.

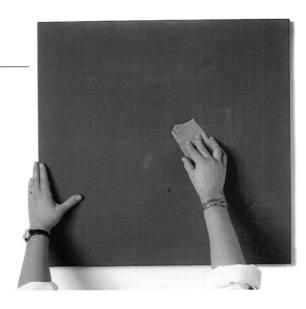

Délimitez avec du ruban adhésif en papier le panneau central, en respectant le projet initial. Peignez le panneau avec une couleur claire. Laissez sécher.

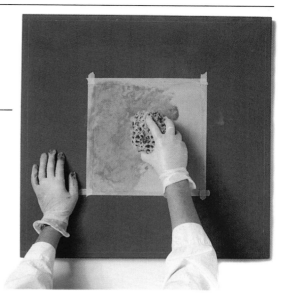

*Avec l'éponge,
appliquez une couleur
plus foncée.*

*Délimitez avec du
ruban adhésif en papier
les bordures latérales
externes et internes.
Peignez avec la
couleur or.*

*Positionnez le cache
avec le motif
ornemental et
commencez à peindre.*

FINITION
*Après avoir bien laissé
sécher l'ouvrage et,
éventuellement, avoir
appliqué un fixatif, vous* *pouvez passer à la
finition en cire. Etalez
plusieurs couches de
cire, en la laissant
sécher. Frottez le* *plateau de table avec
un chiffon en laine.
Vous assemblerez
la table
après les finitions.*

LE LIT D'ENFANT

Demandez à votre
menuisier de confiance
de couper un panneau
haut de 1,20 m, large
de 90 cm et épais de
3 cm (contre-plaqué ou
masonite). Avant de
commencer, assurez-
vous d'avoir tout le
matériel nécessaire à
portée de main.
Bonne chance!

MATERIEL NECESSAIRE

- enduit universel
- blanc lavable
- pigments universels (jaune, bleu, rouge, noir)
- ruban adhésif en papier
- règle, équerre
- caches
- pinceaux pour stencil
- pinceaux plats et pinceaux pour les
  retouches
- cire d'abeilles transparente, pour la finition
- chiffon doux

PREPARATION
*Après avoir passé une
couche d'enduit,
appliquez une couche
de blanc lavable.*

TEINTURE
*Appliquez la première
couche de peinture
choisie précédemment,
suivant le projet.*

*Procédez à la création
de l'effet spécial
"nuage". Donnez des
coups de pinceau ici et
là avec une couleur
plus claire, puis, à l'aide
d'une éponge naturelle,
élargissez les coups de
pinceau en effectuant
des mouvements
rotatoires pour créer un
effet flou.*

*Transférez sur le
panneau le motif de la
décoration, suivant votre
dessin initial.
Délimitez-le avec du
ruban adhésif en papier
pour pouvoir appliquer
à l'éponge les couleurs
contrastantes.*

Peignez les filets
latéraux.

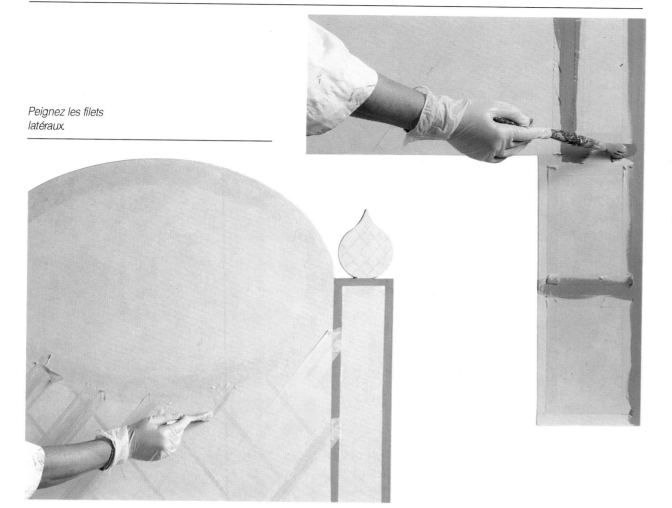

En vous servant d'une
règle, mettez en
évidence les
diagonales en jouant
sur le contraste des
clairs-obscurs.

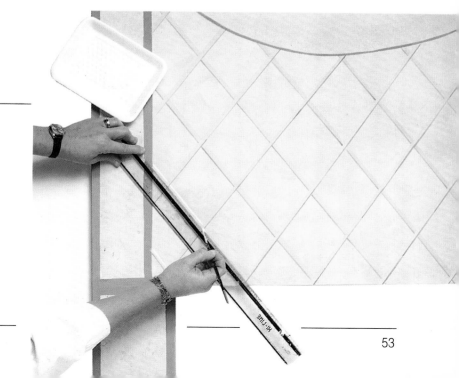

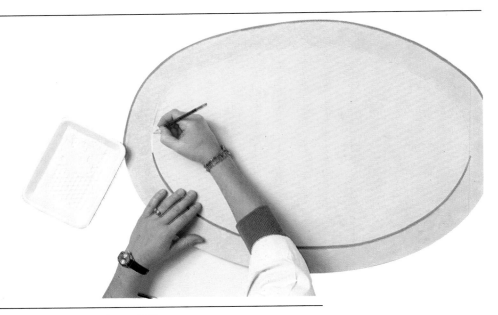

Mettez en évidence par
un liseré les lumières et
les ombres de l'ovale.

Peignez les pommes
de pin. Accentuez leurs
parties plus sombres.

Faites ressortir leurs
parties plus claires.

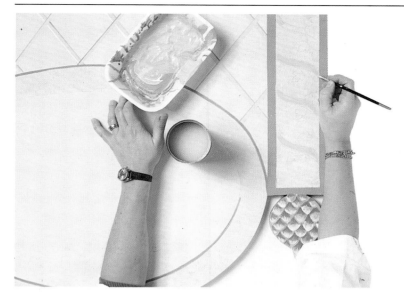

*Commencez à peindre
la bande latérale.*

*Faites ressortir le
cordon en peignant le
clair-obscur des
lumières et des ombres.*

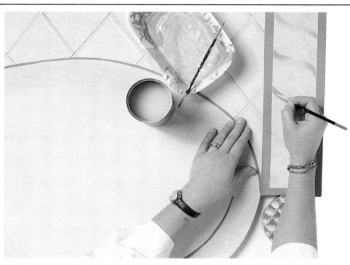

*Peignez les sarments
de lierre.*

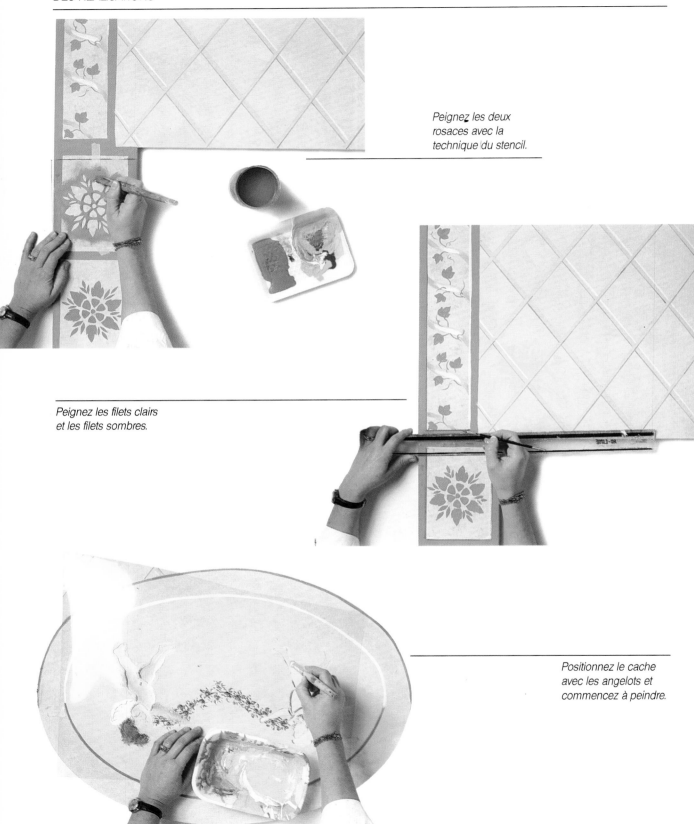

Peignez les deux
rosaces avec la
technique du stencil.

Peignez les filets clairs
et les filets sombres.

Positionnez le cache
avec les angelots et
commencez à peindre.

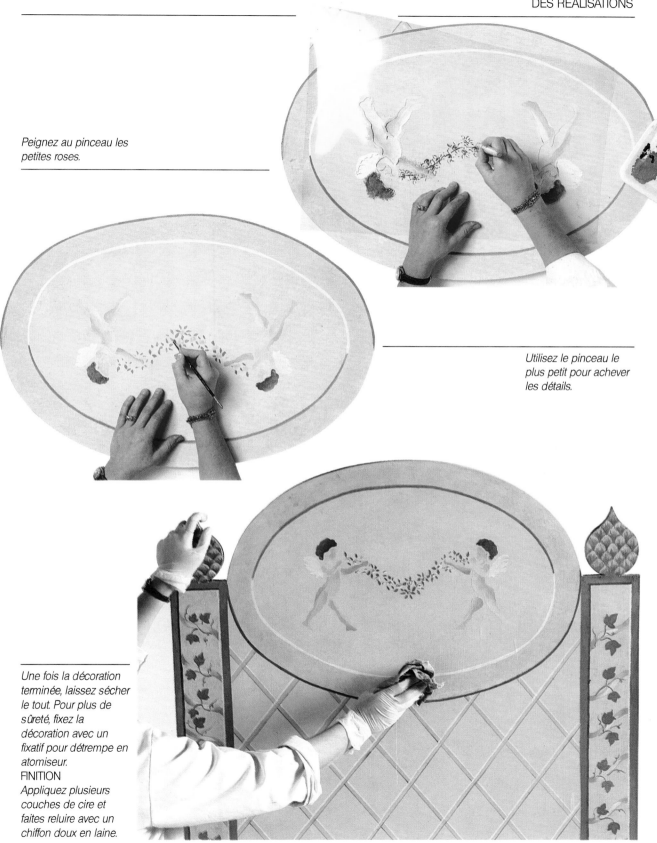

Peignez au pinceau les petites roses.

Utilisez le pinceau le plus petit pour achever les détails.

Une fois la décoration terminée, laissez sécher le tout. Pour plus de sûreté, fixez la décoration avec un fixatif pour détrempe en atomiseur.
FINITION
Appliquez plusieurs couches de cire et faites reluire avec un chiffon doux en laine.

LE TABOURET DE CUISINE

Combien de fois s'est-on trouvé face à un style indéfini et insipide? Dans ce cas, on peut laisser libre cours à la fantaisie. C'est ainsi qu'est né ce tabouret coloré, plein de gaieté, qui trouvera sa place dans une cuisine moderne.

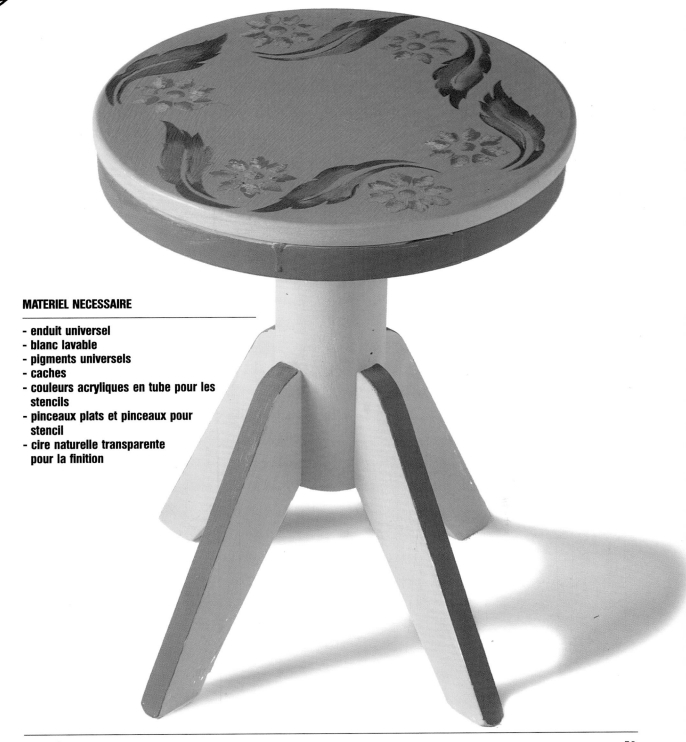

MATERIEL NECESSAIRE

- enduit universel
- blanc lavable
- pigments universels
- caches
- couleurs acryliques en tube pour les stencils
- pinceaux plats et pinceaux pour stencil
- cire naturelle transparente pour la finition

PREPARATION
*Après avoir passé une
couche d'enduit,
appliquez une couche
de blanc lavable.*

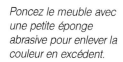

*Poncez le meuble avec
une petite éponge
abrasive pour enlever la
couleur en excédent.*

*Appliquez la couleur
désirée.*

Enlevez l'excédent de couleur à l'aide de la petite éponge abrasive.

Positionnez votre stencil.

Commencez à peindre.

Après avoir positionné le cache et préparé la couleur, commencez à peindre avec le pinceau pour stencil.

Peignez les fleurs avec des couleurs vives, en commençant par la base orange, puis éclaircissez les fleurs avec du blanc, en créant de la lumière.

Pour la finition, fixez la décoration avec un vernis pour détrempe en atomiseur.

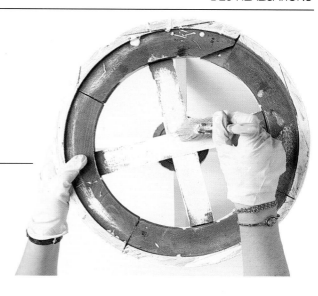

Peignez la base avec de la cémentite, puis passez une couche de blanc lavable.

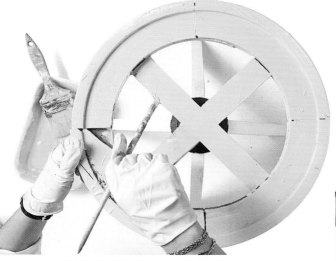

Assurez-vous que toutes les parties sont peintes, dans leurs moindres recoins.

Peignez en vert les bordures du tabouret pour créer un motif géométrique.

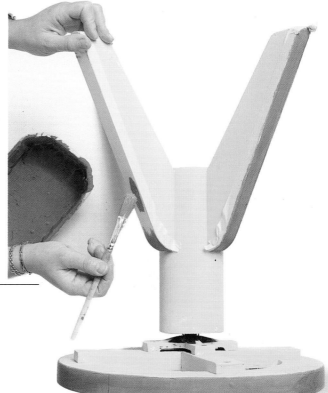

LE BUFFET

Ce buffet a été acheté chez un brocanteur. Son intérêt réside dans ses petites dimensions qui le rendent facile à placer. Le bois était en bon état, il n'était donc pas nécessaire d'effectuer un gros travail de préparation pour le masticage. Nous avons donc réussi à lui donner en peu de temps un nouvel aspect, entre l'ancien et le moderne.

MATERIEL NECESSAIRE

- enduit universel
- blanc lavable
- pigments universels des couleurs de base (jaune, rouge, bleu, noir)
- éponge naturelle
- gants
- ruban adhésif en papier
- papier de verre
- fixatif pour détrempe
- cire d'abeilles naturelle
- chiffon doux
- pinceaux plats et pinceaux pour les retouches

PREPARATION

Après avoir passé une couche d'enduit et une couche de blanc lavable, appliquez la couleur de fond.

Polissez le meuble à l'aide d'une petite éponge abrasive pour enlever l'excédent de couleur.

Avec une couleur plus claire, réalisez l'effet nuage en vous servant d'une éponge naturelle.

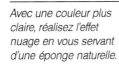

Délimitez les bordures avec du ruban adhésif en papier et passez à la réalisation du faux marbre.

Achevez le faux marbre en peignant les veines plus petites.

Reportez le motif de la décoration avec du papier carbone.

Peignez la décoration.

FINITION
Fixez la décoration avec un fixatif pour détrempe en atomiseur.

Fixez ultérieurement la décoration avec plusieurs couches de cire. Achevez le travail en faisant reluire avec un chiffon en laine.

LA PETITE MALLE BLEU CIEL

Vous pouvez acheter une malle déjà faite ou bien demander à votre menuisier de confiance de la réaliser pour vous, aux dimensions de votre choix.

MATERIEL NECESSAIRE

- enduit universel
- blanc lavable
- pigments universels
- papier calque pour le poncif
- aiguille à pointe ronde (pour le point de croix)
- tampon
- pinceaux plats pour les fonds
- pinceaux pour la décoration
- fixatif pour détrempe en atomiseur pour la finition

PREPARATION
*Après avoir appliqué
une première couche
d'enduit puis une
couche de blanc
lavable, passez
délicatement l'éponge
abrasive pour enlever
l'excédent de couleur.*

TEINTURE
*Peignez avec la couleur
choisie et laissez
sécher.*

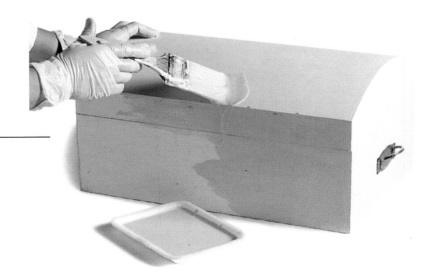

*Positionnez le poncif
précédemment préparé
et reportez le dessin en
vous servant du
tampon et du pigment.*

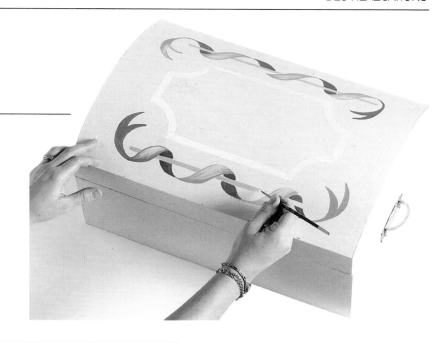

Après avoir "lu" les contours du dessin laissés par le poncif, peignez les décorations à main levée en créant des nuances claires et foncées.

Achevez les décorations avec des rameaux fleuris.

Fixez les décorations avec un fixatif pour détrempe en atomiseur.

LE COFFRE A JOUETS

Combien de fois a-t-on eu besoin de place pour ranger les jouets des enfants qui ne sont jamais en ordre dans la maison! Le coffre à jouets représente une excellente solution et, avec le temps, on pourra l'exploiter pour y ranger nos souvenirs, ceux de notre enfance ou de celle de nos enfants.

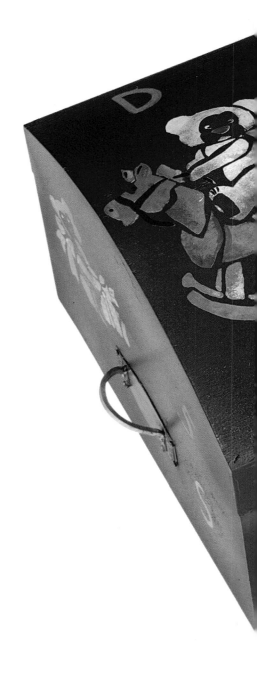

MATERIEL NECESSAIRE

- enduit universel
- blanc et bleu lavables
- cache
- pinceaux pour stencil
- pinceaux pour les retouches et pinceaux plats
- couleurs acryliques en tube pour les oursons
- vernis brillant lavable pour la finition

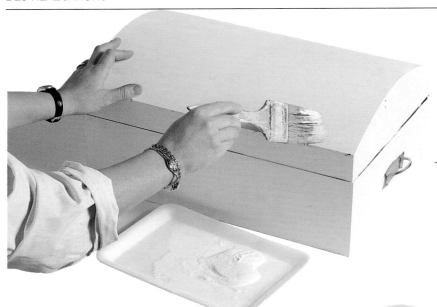

PREPARATION
*Après avoir passé une
couche d'enduit,
appliquez une couche
de blanc lavable.*

TEINTURE
*Peignez avec la couleur
de votre choix.*

*Positionnez les caches
de façon à créer un
motif presque casuel.
Peignez avec la
technique du stencil.*

*Achevez la décoration
en peignant à main
levée des chiffres et des
lettres.*

FINITION
*Appliquez un vernis
brillant lavable en
atomiseur.*

DES IDEES

Le plateau de cette
vieille petite table est
peint avec la technique
du trompe-l'œil.
Sujet: "Equitation".

Cette vieille petite table
hexagonale à deux
étages a été récupérée
dans le grenier de
famille.

Décoration en trompe-l'œil. Sujet: "Roses, dentelles et bijoux".

Ces petites tables restaurées dans le style Louis XVI pendant les années trente et cinquante ornaient les ateliers des couturiers et des photographes et servaient à donner de l'atmosphère à leurs studios. On peut les trouver facilement chez les brocanteurs et les acheter à bon marché. Après avoir enlevé le dessus de marbre, qui est souvent sans grande valeur, vous pouvez fixer un dessus en bois et y peindre un joli trompe-l'œil.

Plateau de table peint
en trompe-l'œil en
imitant des
incrustations de pierres
dures.

Cette petite table est le
pendant de celle que
vous avez déjà
rencontrée dans les
pages précédentes. Ici,
je me suis amusée à
réaliser une tablette
octogonale, car le
plateau d'origine était
presque détruit.

Ebauche de la décoration de la petite table réalisée ci-contre.

Cette petite table de salon est une très belle réalisation de trompe-l'œil. La base a été décorée en faux marbre avec la technique du dripping (égouttage). Les coquillages et les coraux ont été peints avec des couleurs acryliques dans les tons du marbre.

Malle décorée avec une technique mixte: collage et poncif. La finition a été faite à la gomme-laque et au vernis sandaraque. Détail de la gravure de style ancien utilisée pour la décoration réalisée avec la technique du collage.

Coffre peint dans le
style de la vallée
d'Ampezzo (Vénétie) et
personnalisé, sur les
côtés, avec des chiffres.

Motif ornemental de
roses et rubans.

Paravent intitulé "L'ami fidèle", exécuté avec technique mixte. Fond nuage divisé par des motifs peints, imitation marbre. Un collage a été placé au centre de chaque panneau, représentant tous un portrait de chien.

Cette armoire, à motif architectural néo-gothique, a toutes les caractéristiques romantiques de ce style avec les fenêtres géminées, les rosaces et d'autres éléments qui sont peints avec la technique du trompe-l'œil et du poncif.

LES PETITS CADRES

On peut donner libre cours à sa fantaisie en décorant des petits cadres avec une multitude de motifs et de techniques: ministencils, collages, feuilles et fleurs, laques et décorations réalisées à l'éponge.

Tête de lit. Décoration au poncif sur le thème "Petits amours jouant avec un ruban". Le fond a été réalisé avec une couleur de base mi-foncée et une couleur plus claire étalée à l'éponge.

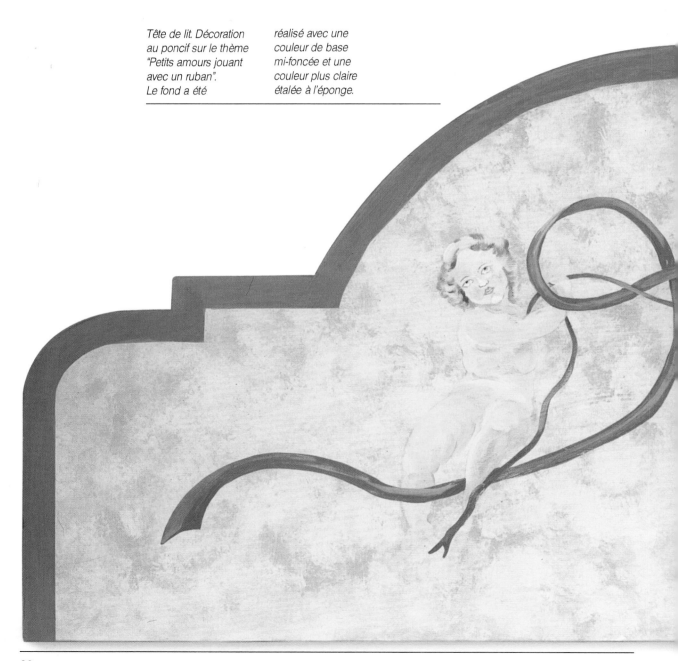

Paire de petites tables de la série des animaux. Ci-dessus: "Tortue".

Technique du gypse. Le profil mouluré des deux gypses a été réalisé avec un moule; la difficulté consiste à polir la surface à l'aide d'une pierre ponce sans abîmer la moulure.

L'imitation de ce marbre
"à bulles" m'a suggéré
des motifs naturalistes,
comme ce lézard vert
qui se chauffe au soleil.

Cadre en gypse décoré
avec des incrustations
à motifs classiques sur
fond marbré. La
sobriété des couleurs et
l'imitation des différents
marbres en font un
parfait exemple
d'équilibre entre formes
géométriques et
couleurs.

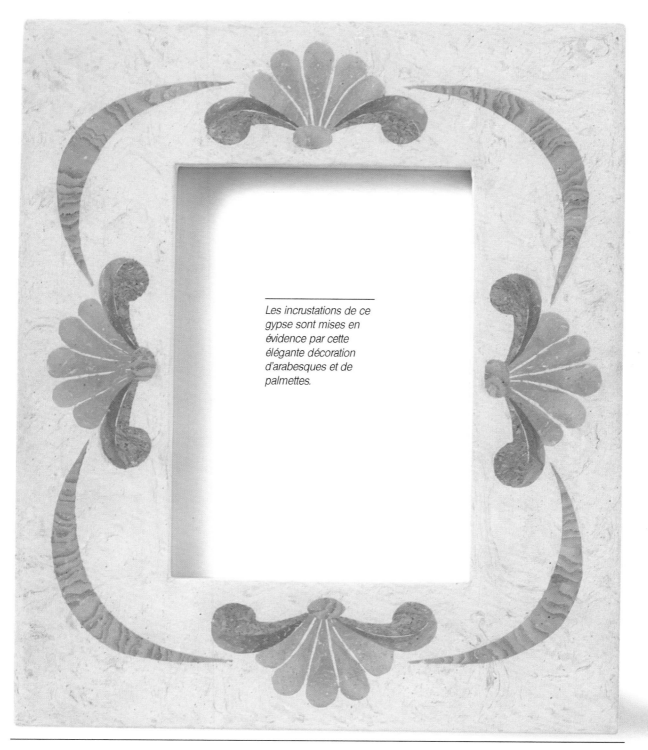

Les incrustations de ce gypse sont mises en évidence par cette élégante décoration d'arabesques et de palmettes.

LA MAISON DE POUPEES

Le sujet "maison de poupées" mériterait un livre entier pour faire comprendre combien il est important que parents et enfants jouent ensemble.

Mordancer les petits meubles, les vernir avec la gomme-laque, décorer le minuscule maroquin du bureau avec un pinceau imbibé d'or, garnir l'intérieur des tiroirs avec du papier marbré préparé exprès: il s'agit d'un véritable travail d'embellissement, facilité par le fait que l'enfant, grâce à ses petites mains habiles, peut réaliser des choses que nous, les adultes, ne pouvons pas faire.

La façade de la petite maison a été décorée avec des motifs classiques sur les bordures en dessous du toit et au-dessus des fenêtres principales.

La décoration a été réalisée avec des petits poncifs, un véritable travail de patience si l'on considère les dimensions réduites de tous les détails.

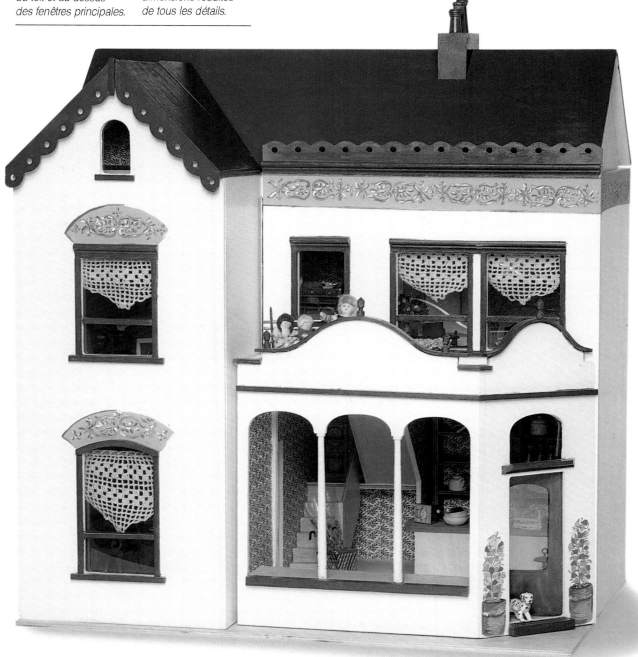

Détail de la cheminée peinte en faux marbre et vernie à la gomme-laque. Dans son ensemble, la maison est bien conçue. Les coussins ont été brodés au point de croix et on a réalisé des compositions de fleurs séchées, des napperons et beaucoup d'autres choses presque invisibles, comme des bonbons et des petits livres.

Détail du paravent décoré avec un amusant petit singe habillé suivant la mode du XVIIIᵉ siècle.

LES ABRIS POUR ANIMAUX

Les petits chiens aiment les tanières. Cette jolie maisonnette s'inspire de certains édifices de l'Engadine et peut servir de niche pour un chien de petite taille.

*Les oiseaux aussi,
pendant leurs
migrations, aimeraient
probablement trouver
çà et là, dans les
jardins de personnes
sensibles et aimant
la nature, un peu de
nourriture pour sortir
des longs hivers
rigoureux.*

LES CADRES PROFILES

Cadre peint avec la technique du trompe-l'œil. Imitation d'incrustations.

Cadre laqué vert,
motif de mosaïque
et décorations
à la feuille d'or.

Cadre à fond noir et
dessin or, style rocaille.

Cadre peint dans le
style vénitien du
XVIIIe siècle,
laque couleur ivoire.

LA COLLECTION DE CADRES

Série de cadres de grandes dimensions, 50 x 70 cm, avec décorations géométriques,

décorations florales, imitation marqueterie et tapisserie. Ils se distinguent non seulement

par leurs motifs, mais aussi par leurs finitions en cire, gomme-laque ou vernis sandaraque.

Ci-dessous un cadre porte-photos peint avec des motifs géométriques.

Un assortiment de cadres décorés. Cadre avec roses peintes sur fond vert. Cadre avec anémones et violettes dont la peinture a été légèrement raclée avec une petite éponge abrasive puis patinée à la cire d'abeilles. En dessous: imitation marqueterie et imitation tapisserie.

Cadres étudiés pour s'harmoniser avec différentes broderies comme celles que vous voyez ici.

DES BOITES D'AUTREFOIS...

La boîte a des origines très anciennes car elle est née pour contenir des bijoux et des pièces d'argent. Voici quelques exemplaires réalisés entre le XIXe et le XXe siècle; à ce propos, on peut remarquer que les styles dominants des différentes époques ont exercé leur influence jusqu'aux petits objets artisanaux d'usage quotidien.
De l'observation des styles anciens peuvent naître d'excellentes idées pour créer nos propres boîtes.

Boîte laquée italienne.
Style art déco.
Collection particulière.

Boîte en laque de Chine. XXe siècle. Collection particulière.

Belle boîte-portrait. Fin du XIXᵉ siècle. Collection particulière.

Boîte laquée, décorée avec épis et bleuets. XXᵉ siècle. Collection particulière.

Boîte laquée française, de style chinois. XXᵉ siècle. Collection particulière.

...AUX BOITES D'AUJOURD'HUI

*On peut peindre
soi-même une infinie
variété de boîtes:
ceux qui trouvent*

*la répétition ennuyeuse
peuvent en créer
de différentes à
chaque fois.*

Boîte ovale, décorée à l'intention de mon amie Lorenza.

Boîte pour bouteille, décoration en trompe-l'œil.

Cadre de dimensions
50 x 70 cm décoré
avec anémones et
violettes, effet patiné.
Ce grand cadre a été
étudié pour être posé
sur un meuble
important.

Boîte à ouvrage faisant
pendant avec le cadre;
décoration florale.

*Cadre avec roses
jaunes et roses, peintes
sur fond vert.
Dimensions
50 x 70 cm.*

*Boîte de rangement à
sujet printanier, décorée
avec anémones et
pensées.*

*Boîte à ouvrage,
décorée en trompe-l'œil
avec roses et
passementerie; fond
imitation parchemin.*

*Décoration en
trompe-l'œil sur fond
nuage avec guirlande
de fleurs et de feuilles
aux couleurs vives.*

*Série de boîtes
rectangulaires pour
aiguilles à tricoter, gants,
cravates ou roses, décorées
avec fleurs et dentelle.*

Boîte de la série
"Portraits de chats".

Nombreux sont les livres de peintres et les photographies de magazines spécialisés qui nous offrent l'occasion de copier les animaux dans toutes leurs positions les plus typiques et les plus suggestives.

Arrêt de porte en forme de chat peint avec la technique du trompe-l'œil.

Boîte laquée, dans le style vénitien, avec décorations en pâte de bois dorée à la feuille d'or.

Boîte laquée, dans le style vénitien, d'inspiration ancienne. Finition à la gomme-laque.

Boîte à cocardes
dédiée au monde de
l'équitation. Sujet:
"Le cheval".

Boîte en laque
vénitienne avec
décorations
d'inspiration moderne,
fond nuage.

Boîte décorée avec des pensées peintes avec la technique du trompe-l'œil. Le motif ornemental veut rappeler la tapisserie.

Boîte décorée dans le style provençal aux couleurs éclatantes et gaies, typiques de ces tissus.

Boîte décorée avec la technique du stencil (production Quadrature) sur fond imitation cuir de Cordoue.

Cette boîte décorée dans un style ancien et naturaliste rappelle un peu les boîtes hollandaises du XIXe siècle; laque satinée avec finition au vernis sandaraque.

Boîte en laque noire
avec décorations
florales.

Cette boîte a été
conçue pour contenir
des lettres d'amour
destinées à une jeune
fille.

LA MOSAIQUE

Reproduire la mosaïque en peinture donne un très bon résultat, mais le travail est long car chaque élément doit être peint en imitant les variations de couleur de la vraie mosaïque. Armez-vous donc de patience et vous obtiendrez un résultat gratifiant.

En tout cas, tout le monde peut réussir. En effet, même les enfants peuvent avoir d'excellents résultats avec cette technique.

Plateau de table peint en mosaïque.

*Boîte avec décoration
en mosaïque,
technique du
trompe-l'œil.*

Boîte à chapeaux
décorée avec amazone
et cocarde. Finition au
vernis sandaraque.

Boîte rectangulaire destinée à contenir, au choix, aiguilles à tricoter, gants, cravates ou roses, décorée avec un motif de dentelle.

Ce motif décoratif s'inspire des merveilleux papiers peints et des tissus créés par William Morris, artiste éclectique et très raffiné dans le choix de la juxtaposition des couleurs.

LES BOITES A CHAPEAUX

Les chapeaux sont de nouveau à la mode: pourquoi donc ne pas reproposer des boîtes décoratives pour ranger ces petits chapeaux que l'on achète, par exemple les chapeaux tyroliens garnis de plumes et de rubans?

Boîte à chapeaux d'inspiration pompéienne. Finition à l'encaustique.

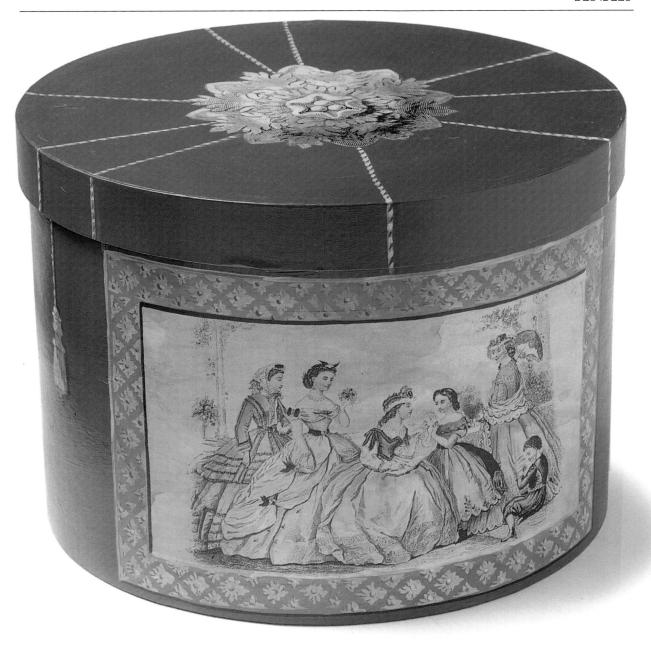

Boîte à chapeaux en laque rouge avec collage et décorations à main levée, finition à la gomme-laque.

LES PLATEAUX

Plateau peint en trompe-l'œil; sujet: "Dentelle de Cantù (Côme)". Ce plateau a été récupéré chez un brocanteur. Il se présentait en mauvais état et nécessitait donc un peu de masticage çà et là. Après un travail de préparation un peu plus long que d'habitude, la satisfaction s'est révélée à la mesure du charme particulier qui émane de cet objet ancien.

Ancien plateau en
laque de Chine, décoré
avec des motifs or et
argent créant des reflets
irisés très particuliers.

Boîte en laque noire
décorée avec des
grappes de raisin en
pigment doré dans le
style XIXe siècle.
Comme variante à la
forme traditionnelle, on
a appliqué sur le
couvercle un petit
pommeau en bois, poli
au tour.

Ancien plateau du
XIXe siècle en laque
italienne, décoré avec
des pâquerettes

peintes à l'huile et des
volutes dont la dorure a
été exécutée à la feuille;
restauré par Quadrature.

Voici un plateau de gourmandises. Ce plateau a été lui aussi récupéré chez un brocanteur. Il a été nettoyé, décapé et décoré en trompe-l'œil avec toutes sortes de douceurs pour le petit déjeuner.
Peut-on imaginer une meilleure invitation à passer une agréable journée?

LES EVENTAILS DE CHEMINEE

Deux éventails: un pour elle et un pour lui.

*Un exemplaire ancien
de l'époque de
Napoléon III.*

*Éventail de cheminée
reproposé dans un ton
plus moderne avec
décoration de violettes.*

LES BOULES DECORATIVES

Les boules ornementales sont des éléments décoratifs très appréciés pour garnir bibliothèques, meubles, cheminées, bureaux, etc. Pour les décorer, voici une série de motifs naturalistes à l'intention de ceux qui aiment la nature et les animaux.

"Crapaud"

"Aigle"

"Moineau"

"Serpent"

"Oiseau"

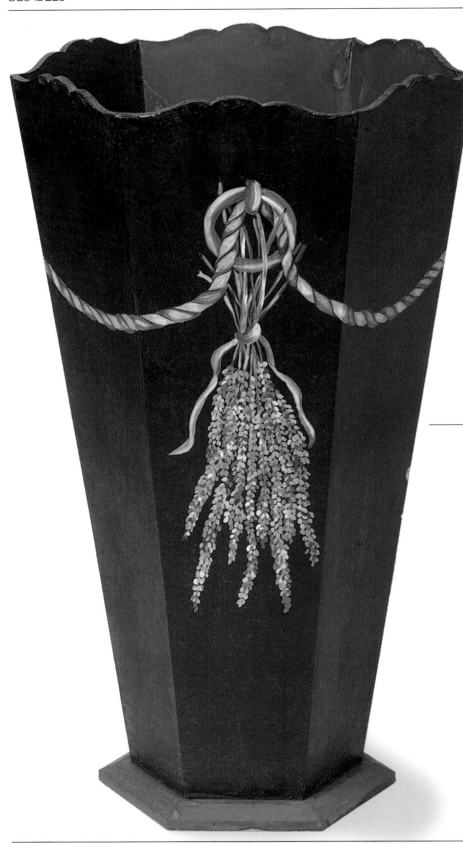

Porte-parapluies décoré
en trompe-l'œil avec
anneaux, cordons et
bouquets de lavande,
indiqué pour une
maison de campagne.

*Porte-parapluies avec
décoration classique,
technique du stencil,
fond travaillé à l'éponge
et finition à la cire.*

LES CORBEILLES A PAPIER

*Cette corbeille à fond
sombre et à motif
"Lys de Florence"
a été décorée
au stencil.*

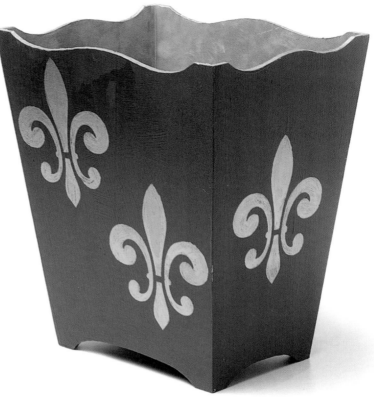

*La décoration de cette
corbeille veut rappeler
celle de la tapisserie de
la chambre. Fond jaune
nuage avec petites
roses et cordonnets.*

Corbeille décorée avec la technique du collage; motif: "Figure équestre".

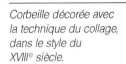

Corbeille décorée avec la technique du collage, dans le style du XVIIIe siècle.

Pour embellir vos armoires ou pour faire des cadeaux utiles et personnalisés, vous pouvez vous amuser à *décorer des cintres ordinaires avec les sujets les plus divers et en utilisant différentes techniques.*

LA CONSOLE

Que ce soit dans la salle à manger, l'entrée, la salle de bain ou la chambre à coucher, la console peut résoudre bien des problèmes.

A peu de frais et avec beaucoup d'imagination, vous pouvez couper vous-même, ou bien faire faire à votre

menuisier, un modèle comme celui-ci, long de 110 cm, large de 30 cm et épais de 3 cm. Bon travail!

Console peinte en trompe-l'œil, imitation incrustation de pierres dures. Motif de la décoration: "Fleurs de magnolia et liserons".

REMERCIEMENTS

A Cristina Sperandeo, qui m'a suivie avec enthousiasme, en me laissant toute liberté d'action.

Au photographe Alberto Bertoldi qui a fait son travail avec professionnalisme.

A mes assistantes Nicoletta et Giulia qui m'ont aidée dans mon parcours de travail avec dévouement.

A Giuliana Gabbiani et Anna Mazzini, spécialistes et collaboratrices dans l'art du gypse.

Au groupe Unitec: Francesco Trabucco, Marcello Vecchi et Marta Viola qui ont suivi mes progrès et m'ont assistée de leurs conseils pour le développement de Quadrature.

A ma fille Chiara, camarade de travail et critique stimulante comme son père.

Au Centre Européen de Formation des Artisans, pour la conservation du patrimoine architectonique de San Servolo, qui a contribué à mes progrès culturels et m'a ouvert de nouveaux horizons.

A mon père, ma mère, mon grand-père Rodolfo et ma "tante" Jole, qui m'ont appris l'honnêteté, l'humilité, l'assiduité et l'art.

A Monsieur Conti, de la maison APA, producteur inspiré et attentif au développement de nouveaux produits.

Tous les articles photographiés dans ce livre sont inédits.
Les stencils ainsi que tous les objets et les meubles sont produits par Quadrature.

Traduction: Monica Floreale

Photos: Alberto Bertoldi

Couverture: Break Point/Flavio Guberti

Projet grahique et mise en pages: Paola Masera et Amelia Verga

Photocomposition: G&G computer graphic